Poulou et Sébastien

René Escudié est né en 1941 à Clermont-Ferrand. Il commence des études scientifiques, mais l'intérêt qu'il porte à la littérature le conduit vers les lettres, puis, tout naturellement, vers l'écriture. Auteur dramatique, écrivain pour enfants (Nathan, Magnard, Centurion), il est également animateur d'ateliers d'écriture pour les jeunes.

Ulises Wensell est né à Madrid en 1945. Il apprend les secrets de la peinture en regardant travailler son père. Connu aujourd'hui dans le monde entier pour ses illustrations de livres pour enfants, il obtient, entre autres, le prix national de l'illustration en Espagne, le prix Critiques en Herbe à Bologne. Ses ouvrages sont publiés en France chez Casterman, Gauthier-Languereau, au Centurion ; Ulises Wensell collabore régulièrement aux revues pour les jeunes de Bayard Presse.

© Bayard Éditions, 1990
ISBN 2.227.72118.9

Poulou et Sébastien

**Une histoire écrite par René Escudié
illustrée par Ulises Wensell**

BAYARD ÉDITIONS

La maman de Poulou habite
dans une roulotte verte
avec des rideaux bleus.
La maman de Sébastien habite
dans un appartement bleu
avec des rideaux verts.

La maman de Sébastien regarde
par la fenêtre de l'appartement, et elle dit :
– Comment peut-on habiter
dans une roulotte ?
C'est tout petit,
il y fait froid,
il y fait noir,
ça sent la terre et les poils de chien,
ça sent mauvais !

La maman de Poulou regarde
par la fenêtre de la roulotte, et elle dit :
– Comment peut-on habiter
dans un appartement ?
Ça ne bouge pas,
ça reste là,
il fait trop chaud,
ça sent la lessive et l'eau de javel,
ça sent mauvais !

Poulou vient chercher Sébastien
à la porte de l'appartement bleu.
La maman de Sébastien lui demande :
– Qui es-tu ? Où habites-tu ?

Poulou répond :
– Je m'appelle Poulou,
j'habite dans la roulotte verte
avec des rideaux bleus.

La maman de Sébastien dit :
– Va-t'en !
Tu n'habites pas dans un appartement,
tu ne sens pas la lessive, ni le mazout,
ni le bifteck, ni les nouilles,
tu sens mauvais.

Sébastien vient chercher Poulou
à la porte de la roulotte verte.
La maman de Poulou lui demande :
– Qui es-tu ? Où habites-tu ?

Sébastien répond :
– Je m'appelle Sébastien,
j'habite dans l'appartement bleu
avec des rideaux verts.

La maman de Poulou dit :
– Va-t-en !
Tu n'habites pas dans une roulotte,
tu ne sens pas la terre, ni le chien,
ni le ragoût*, ni les pommes du chemin,
tu sens mauvais.

*Ce mot est expliqué page 45, n° 1

La maman de Sébastien dit à Sébastien :
– Je ne veux plus que tu joues
avec ce garçon de la roulotte.

La maman de Poulou dit à Poulou :
— Je ne veux plus que tu joues
avec ce garçon de l'appartement.

Poulou et Sébastien vont à l'école,
ils ne marchent pas sur le même trottoir.
Dans la cour, ils ne jouent pas ensemble,
ils sont obéissants.
Le soir, Sébastien dit à sa maman :
– Je n'ai pas joué avec Poulou.

Et Poulou dit à sa maman :
– Je n'ai pas joué avec Sébastien.

Et les mamans disent :
– C'est bien,
ce ne sont pas des gens comme nous.

Un jour, toute l'école
va se promener à la campagne.
Les enfants ramassent des fleurs
dans un pré à côté d'une petite rivière.

Dans le pré, il y a une petite cabane
avec un toit rouge et des murs rouges,
des volets rouges et une porte rouge.

La pluie se met à tomber,
flac ! flac ! flac !
fort, très fort,
longtemps, longtemps.
Tous les enfants de l'école vont s'abriter
sous les arbres.

Sébastien et Poulou se réfugient
sous le toit de la cabane rouge,
mais la pluie tombe quand même sur eux.
Ils s'appuient contre la porte,
et la porte s'ouvre.

Ils tombent dans la cabane rouge,
sur le plancher* rouge.
Il y a des murs rouges,
les chaises sont rouges,
le lit est rouge,
et la table est jaune
avec un bouquet de fleurs au milieu.

*Ce mot est expliqué page 45, n° 2

Poulou et Sébastien vont s'asseoir
tous les deux dans un coin,
mais pas dans le même coin.
Ils se regardent et ils ne disent rien,
ils ne jouent à rien,
ils ne font rien.

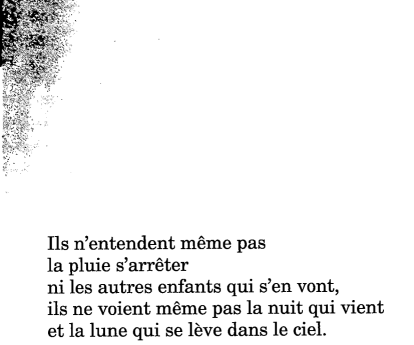

Ils n'entendent même pas
la pluie s'arrêter
ni les autres enfants qui s'en vont,
ils ne voient même pas la nuit qui vient
et la lune qui se lève dans le ciel.

Et puis, tout à coup,
tous les deux en même temps, ils disent :
– On est perdus !
Poulou dit : – Ça ne fait rien,
on est comme dans une roulotte,
n'aie pas peur.
Sébastien dit : – Ça ne fait rien,
on est comme dans un appartement,
n'aie pas peur.
Et ils rient parce qu'ils ont parlé
en même temps.
Poulou demande :
– Tu connais le chemin pour rentrer ?
Sébastien répond :
– Non. Il fait trop noir dehors.
Il faut attendre demain matin.
Poulou a un morceau de saucisson
dans sa poche,
il le donne à Sébastien.
Sébastien a un bout de chocolat,
et il le donne à Poulou.
Dans un tiroir,
ils trouvent un petit morceau de bougie
et une boîte d'allumettes.
Ils allument la bougie
et ils mangent le chocolat et le saucisson.
Puis la bougie s'éteint.

Poulou dit : – Tu n'as pas froid ?
Prends mon pull-over.
Sébastien dit : – Tu n'as pas froid ?
Tiens, prends ma veste.
Poulou met la veste de Sébastien,
et Sébastien enfile le pull-over de Poulou.
Ils se couchent dans le lit rouge,
et ils s'endorment.

Plus tard, bien plus tard,
au milieu de la nuit,
il y a du bruit dehors,
mais ils n'entendent rien, ils dorment.
Il y a des gens, plein de gens,
qui cherchent dans le pré,
qui cherchent dans la rivière,
qui cherchent sous les arbres.

Il y a la maman de Sébastien,
et elle crie :
– Sébastien ! Sébastien !

Il y a la maman de Poulou,
et elle crie :
– Poulou ! Poulou !

La maman de Poulou
et la maman de Sébastien
entrent dans la petite maison.

Dedans, tout est noir,
noir, très noir.
Elles vont à tâtons[*],
elles arrivent au lit
et, à tâtons,
elles reconnaisssent
des formes de petits garçons.
La maman de Sébastien dit :
– C'est la veste de Sébastien !
C'est mon Sébastien !

La maman de Poulou dit :
– C'est le pull-over de Poulou !
C'est mon Poulou !

[*]Ce mot est expliqué page 46, n° 3

Le lendemain,
la maman de Poulou
et la maman de Sébastien
vont réveiller leurs enfants.

La maman de Sébastien
retourne à l'appartement
avec le garçon dans ses bras.
Dans l'appartement,
il y a une panne d'électricité,
on n'y voit rien, il fait tout noir.
La maman de Sébastien
déshabille le petit garçon,
elle le couche, elle le berce,
elle l'embrasse, il dort toujours.

La maman de Poulou
retourne à la roulotte
avec le garçon dans ses bras.
Dans la roulotte,
il n'y a plus d'huile pour la lampe,
on n'y voit rien, il fait tout noir.
La maman de Poulou
déshabille le petit garçon,
elle le couche, elle le berce,
elle l'embrasse, il dort toujours.

Le lendemain,
la maman de Poulou
et la maman de Sébastien
vont réveiller leurs enfants.

Mais dans la couchette* de Poulou,
c'est Sébastien qui dort,
et dans le lit de Sébastien,
il y a Poulou qui rêve.

*Ce mot est expliqué page 47, n° 4

Alors, la maman de Poulou
va à la fenêtre de la roulotte,
et la maman de Sébastien
va à la fenêtre de l'appartement,
elles se regardent et elles se sourient
en même temps.

Maintenant, Sébastien et Poulou
jouent ensemble,
ils rient ensemble,
ils rêvent ensemble
dans la roulotte verte
aux rideaux bleus
et dans l'appartement bleu
avec des rideaux verts.

LES MOTS DE L'HISTOIRE

1. On fait un **ragoût**
avec des morceaux de viande
et de légumes cuits dans une sauce
qui donne du goût.

2. Le **plancher** d'une pièce, c'est le sol.
Avant, il était toujours en planches de bois
et c'est pour ça qu'on dit un plancher.
Maintenant, il est souvent aussi en béton
recouvert de lino ou de moquette.

3. Quand on va **à tâtons,**
on avance en touchant
tout ce qu'il y a autour de soi
pour se diriger,
comme si on était dans le noir.

4. Une **couchette,** c'est un petit lit.
Souvent, on replie ce petit lit
pour le cacher dans un meuble
ou le faire entrer dans un placard.
Il y aussi des couchettes
dans les trains
et dans les bateaux.

Achevé d'imprimer en octobre 1992 par Ouest Impressions Oberthur
35000 Rennes - N° 13313
Dépôt légal éditeur n° 1350 - Septembre 1990
Imprimé en France